SUPER-MEDIANO

Para Noam y Emma
S. M.

Para Fabiana
D. A.

Dirección editorial: Adriana Beltrán Fernández
Coordinación de la colección: Karen Coeman
Cuidado de la edición: Olivia Villalpando y Ariadne Ortega
Diseño de interiores y portada: Diego Álvarez
Formación: Roxana Deneb
Traducción: Diana Luz Sánchez
Texto: Susie Morgenstern

Supermediano

Título original en francés: *Supermoyen*

Primera edición: junio de 2012
D. R. © 2012, Ediciones Castillo, S. A. de C. V.
Décima reimpresión: septiembre de 2022
D. R. © 2022, Macmillan Educación, S. A. de C. V.
Castillo ® es una marca registrada.
Macmillan Educación forma parte de Macmillan Education.

Insurgentes Sur 1457, piso 25,
Insurgentes Mixcoac, Benito Juárez,
C. P. 03920, Ciudad de México, México.
Teléfono: 55 5482 2200
Lada sin costo: 800 536 1777
www.edicionescastillo.com

ISBN: 978-607-463-519-5

Miembro de la Cámara Nacional de la Industria Editorial Mexicana.
Registro núm. 3993

Impreso en México / *Printed in Mexico*

SUSIE MORGENSTERN

Ilustraciones de **DIEGO ÁLVAREZ**

SUPER-MEDIANO

ALEJANDRO
MAGNO

Quizá no fue una buena idea que al nacer lo llamaran Alejandro, pues ahora, al estudiar las hazañas de ese gran hombre, todos lo llaman Alejandro Magno.

Sólo que Alex no es ni grande ni pequeño. Simplemente es mediano, supermediano.

Él pasaría inadvertido si no se hiciera notar por su... ausencia. Aunque claro que está presente, pero está en otra parte. Su cuerpo está en la silla, pero su mente está muy lejos. ¿O será que tiene sueño? ¿O que está pensando en otra cosa?

Si Alex mira por la ventana, no es por mala voluntad. Es porque la clase no le interesa mucho. Suele sentir que eso no es lo suyo y que sus compañeros tienen más motivos que él para estar allí.

Cuando su maestra le pregunta, sea cual sea la materia, Alex siempre responde con la frase típica de los muy medianos:

—¡Ésa no es una respuesta, Alejandro! Estoy de acuerdo en que si uno no sabe, es mejor admitirlo y no decir cualquier cosa. Pero, ¿no crees que deberías esforzarte un poco más? Esta respuesta la encuentras en la página 52 de tu libro. ¡No acepto que te des por vencido sin pensar!

Alex es educado y amable, pero esta mañana parece haber dejado su cerebro bajo la almohada, junto a su piyama.

Finge leer su libro, pero... ¡ya olvidó la pregunta! La respuesta le brinca justo en los ojos mientras la maestra le hace la misma pregunta a Inés. ¡Demasiado tarde! Tal vez debería poner más atención.

En educación física, Alex confunde el pie derecho con el izquierdo. Hakim, su mejor amigo, trata de ayudarlo, pero es inútil: sus pies se siguen enredando.

Los deportes no le interesan mucho. En realidad no es tan malo en educación física; sólo es mediano, supermediano.

Alex ve que sus compañeros hacen verdaderas hazañas con el balón en la punta del pie. No entiende por qué les divierte tanto. A él le parece aburrido. Tampoco conoce a las estrellas del futbol, ni les encuentra lo emocionante, fuera de que ganan millones.

Cuando por casualidad le pasan el balón, Alex no sabe qué hacer. Ni con las manos lograría lo que sus compañeros hacen con el pie. A pesar de todo, lo intenta... le da una buena patada al balón, que va directo... ¡a la cabeza del director!

En casa las cosas no van mejor. Si Alex quiere ayudar a recoger la mesa, casi siempre tira algo. Ante la mirada enojada de sus papás, sale con el "No lo hice a propósito", que suele tener de reserva.

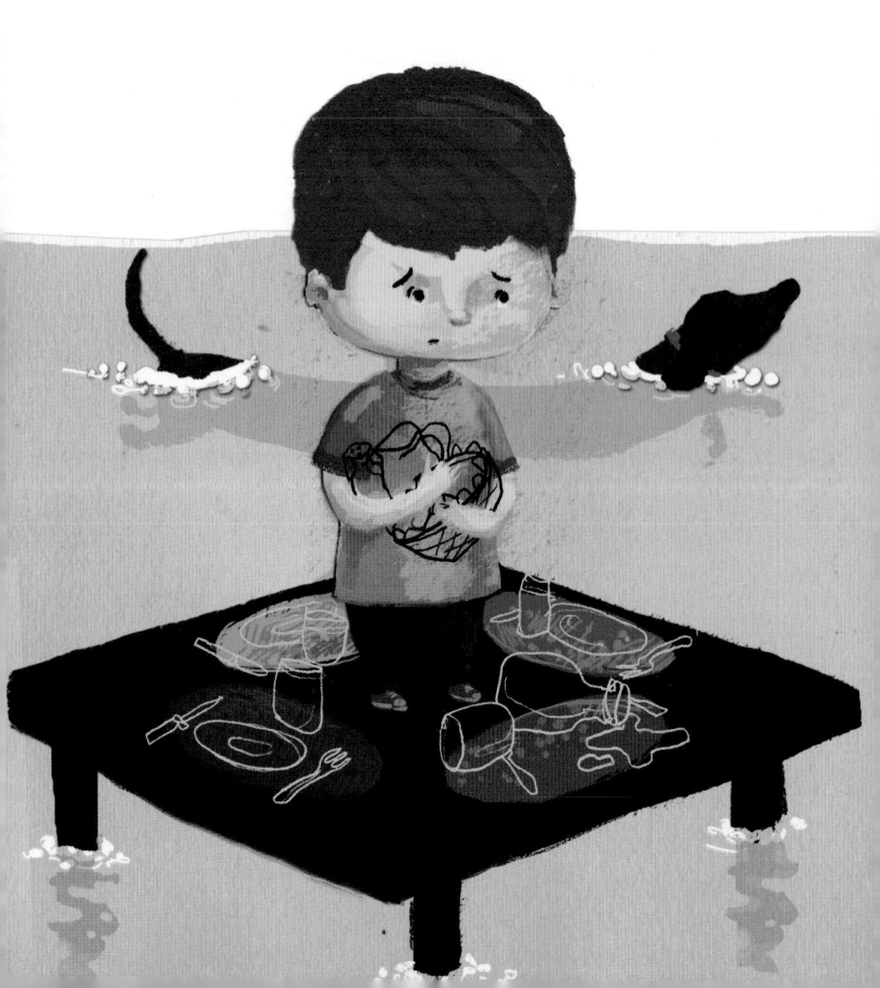

Con frecuencia, Alex olvida cerrar la llave de la bañera, que empieza a desbordarse. Y sólo se da cuenta cuando el departamento de los vecinos de abajo se inunda. Hasta en sus tonterías, Alex es simplemente mediano, supermediano.

Pero, después de todo, no es tan terrible ser mediano. Por ejemplo, en un salón de clases siempre habrá unos más adelantados que otros, pero casi todos están en medio. La mayoría de las personas son medianas. ¿Qué sería del mundo sin los medianos? Son una necesidad vital. Ellos aseguran la buena marcha del mundo.

Sólo que a Alex nada de eso le satisface. Incluso le parece muy mediano ser mediano. En la escuela o en la casa, con sus papás, sus compañeros o su maestra, se sentiría aliviado si, de vez en cuando, pudiera estar un poquito por encima del promedio.

Para empeorar las cosas, su hermana es la Señorita Todo-me-sale-bien. Es la mejor de su salón, también de la clase de danza y, por si fuera poco, es bonita. Es perfecta en todo lo que hace. Como entiende muy rápido, termina su tarea en 20 minutos, con reloj en mano. Mientras que, en el mismo tiempo, Alex apenas ha leído el planteamiento del primer problema de matemáticas.

La genética no es la responsable de la medianía de Alex y eso no es un consuelo para él. Ya lleva ocho años de su vida en ese estado de niño mediano, supermediano, y la perspectiva de seguir así el resto de sus días le fastidia.

Se ha resignado, aunque no del todo. Ese día, de camino a la escuela, da pasitos arrastrando su mochila y pensando con tristeza:

Entonces toma una decisión: debe esforzarse y progresar; tratar de atravesar la frontera de los medianos aunque sea sólo un milímetro.

Al día siguiente, pone la mesa del desayuno. No le sale tan mal. Su hermana le hace algunos elogios.

Pero ¡bah!, en la escuela las cosas resultan más deprimentes que de costumbre. En vez de salir un poco de su cáscara de mediano, Alex se muestra más mediocre que nunca. Y a eso sólo se le puede llamar ser supermediano.

En la clase de geografía pone mucha atención, se sabe las respuestas, pero la maestra no le pregunta a él. En mate no puede resolver un problema del pizarrón. Ese fracaso le hace repetirse una amarga y pesimista cantaleta:

Es inútil, no es para mi,
es estúpido, no naci para esto...

Un día, al levantar la cabeza, Alex descubre la cosa.

No sabe que su padrino envió ese paquete.

Es tan enorme que nadie del edificio olvidará el día en que llegó.

Los cargadores sudaban la gota gorda. La cosa no cabía en el elevador y no les hacía ninguna gracia subirla a pie, sobre su espalda, hasta el cuarto piso por el estrecho cubo de la escalera.

Esos hombres altos y bien plantados protestaban a cada rato. Por una falsa maniobra, la cosa se volteó, aplastándole el dedo gordo del pie a uno de los fortachones.

Así que la dejaron sobre los escalones y salieron disparados a urgencias.

La cosa se quedó allí, arrinconada entre el segundo y el tercer piso durante un día y medio, estorbando el paso. Sólo cuando el papá de Alex le reclamó al jefe de los cargadores, llegaron refuerzos a terminar el trabajo.

De algo sí podemos estar seguros: la cosa nunca saldrá del departamento, pues pesa como ¡350 kilos!

Al verla, Alex quedó encantado.

Está maravillado con su negro ébano, tanto como con su blanco marfil. Le encanta su madera de caoba y sus líneas bien derechitas. Al tocar el teclado, Alex siente cosquillas en las yemas de los dedos. Le fascinan sus 52 teclas blancas y las 36 negras.

También le agrada la joven mujer que viene cada lunes a enseñarle cómo sacarle provecho a la cosa.

Se llama Hasmig y es de Líbano. Toca divinamente. Es muy estricta y le exige leer las partes más difíciles. Alex protesta, lloriquea, refunfuña, negocia, pero termina aprendiéndose el fragmento. Muchas veces, su tendencia al menor esfuerzo lo impulsa a renunciar, pero se aferra como puede para no hacerlo.

Poco a poco aprende a domar el piano. Alex lo toca con todo su cuerpo y su corazón.

Ahora, en la escuela, cuando la maestra le pregunta, Alex sabe que debe esforzarse para comprender lo que ella dice y buscar en su cabeza. Hace un tremendo esfuerzo y da una respuesta, aunque no sea correcta. La maestra ha dicho que no es grave equivocarse, que los bebés se caen antes de caminar.

Lento, pero seguro, Alex avanza hacia la cima de los medianos. Cuanto más cerca está, menos pena le dan los medianos más rezagados. Ahora admira a los alumnos aplicados: su perfección lo atrae como un imán.

3

En clase, la maestra ha pedido a cada niño memorizar un poema y declamarlo. Inés, la alumna más aplicada, eligió uno de Paul Éluard. Mientras declama, Alex se enamora de ella. Inés recita con el corazón para que todos sientan lo que hay detrás de las palabras. Tristemente, su mirada nunca se detiene en Alex. No parece darse cuenta de que él existe.

Llega el turno de Érik, que estropea su poema.

¿Cómo alguien puede ser tan malo?

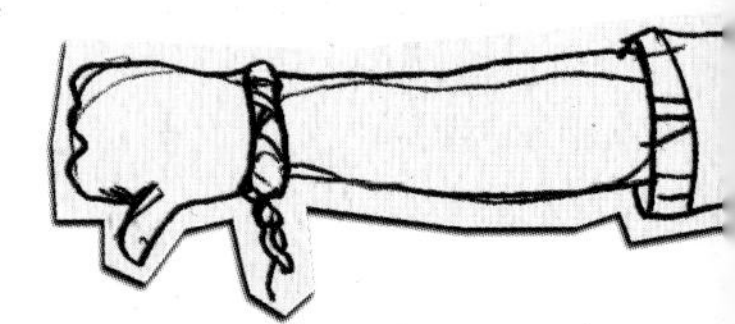

Alex es el último en pasar. En vez de dar el nombre del poeta, como todos, dice:

No quiere que sepan que, por flojera de investigar, compuso su propio poema:

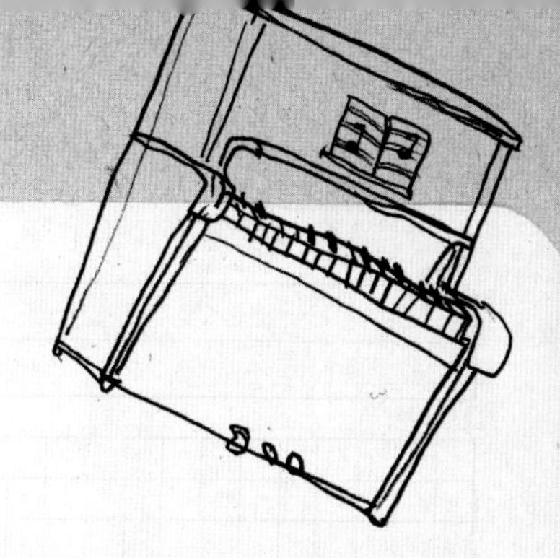

El piano

El piano tiene un secreto,
escondido en su madera.
Y es tan, pero tan discreto,
que sólo a mí me lo revela.

Él habla a su propio modo,
y usa do, re, mi, fa, sol
en su clave dice todo
con sostenido y bemol.

Ágil o lentamente
mis dedos buscan despertarlo
le hago cosquillas suavemente
o bien puedo acariciarlo.

La maestra alza las cejas, sorprendida de lo bien que lo ha hecho este alumno mediano.

Hasta Inés se digna, por fin, a voltear a ver a Alex.

Además de su familia, nadie sabe que Alex toca el piano. Hasmig dice que ha progresado mucho y que pareciera como si llevara años practicando.

Al terminar la escuela, Alex tiene prisa por llegar a "hablar" con su piano. Aun así, avanza con lentitud, mirando el suelo. Por eso no se da cuenta de que dos chicos "grandes" se atraviesan en su camino y obstruyen la banqueta.

Alex no puede avanzar. Como es un niño bien educado, los saluda cortésmente. Quizá sólo quieren preguntar o vender algo. Todavía tiene 10 pesos para gastar.

—¡Danos tu mochila y lo que traigas en tus bolsillos!

Alex recuerda lo que su abuela le dijo un día: “No tiene caso discutir con el lobo malvado”. Y cuando empieza a buscar en sus bolsillos, alguien empuja bruscamente a los dos “grandes”. Sorprendidos, salen corriendo. Alex queda frente a frente de su compañero Érik.

—Me salvaste la vida —dice.

—La vida no. Sólo salvé tu mochila.

—Gracias de todos modos. Pudieron haberse ido sobre ti y llevarse tu mochila también. Gracias, muchas gracias.

—De nada —dice Érik con timidez.

—¿Quieres venir a mi casa a merendar?

Érik no tiene prisa; lleva colgada del cuello la llave de su casa.

—Claro que sí, gracias. Es mejor que ir a encerrarme solito. Además todos los días podríamos regresar juntos de la escuela, si quieres.

—Buena idea —dice Alex.

Nunca le interesó ser amigo de Érik, que está en la escala más baja de los medianos. Pero quedó demostrado que aunque algunos son medianos, supermedianos, también pueden ser muy valientes y ayudar.

En su casa, Alex le ofrece galletas a Érik. Y, de regalo, toca una pieza en el piano.

Érik trata de tocar también, pero sólo hace ruido.

—¿Cómo haces funcionar esa cosa?

—Hay que practicar todos los días. Uno tiene que trabajar mucho —explica Alex como todo un experto.

—¡Ah! —dice Érik.

—Si quieres, puedo enseñarte un truco —dice Alex.

Le enseña una pieza sencilla, a cuatro manos. Érik se siente en las nubes, contento de dominar ese nuevo aparato.

—Podríamos hacer la tarea juntos. Yo te dicto y luego tú a mí —propone Alex.

—Está bien —responde Érik de mala gana.

Alex hace reír a Érik. Dicta un texto muy malo a gritos y con voz de actor trágico. Érik sólo tiene dos errores. Cuando llega su turno, Alex no comete ninguno. Es un gran día. Quién sabe cómo les irá en el verdadero dictado con la maestra.

Terminan la tarea antes de ir a jugar al cuarto. Como si nada, Érik arma una moto muy difícil de ensamblar. Alex concluye que ese chico no es tan mediano como parece. Por lo menos, no en todo.

5

Contenta de los progresos de Alex con el piano, Hasmig lo anima a tomar clases de solfeo. Para Alex, esto significa que, en lugar de pasar la tarde jugando, tendrá que ir al Conservatorio.

Pero, cuando eres niño, generalmente los papás y los profesores te dicen qué hacer y tienes que obedecer. Así que no le quedan muchas opciones a Alex.

Aunque a él le encanta tocar el piano, el solfeo no le fascina. Pero hacer el sacrificio trae consigo una recompensa: ¡Inés está inscrita en el mismo curso que él! Así que pueden ir y regresar juntos.

Inés sufre porque no entiende ni papa de solfeo. Alex le ayuda con el ritmo.

Sí: Alex, el supermediano, ayuda a Inés, la reina de los mejores.

Al regresar de su primera clase, Alex encuentra a su mamá en las escaleras del edificio. Viene del mercado y trae cargando varias bolsas. Alex ofrece su ayuda de inmediato.

—No, hijo, gracias. Yo puedo sola.

Al parecer, su mamá teme que tire las bolsas y que todo el mandado termine regado por el edificio. Pero Alex está decidido a ayudar.

—No te preocupes, ma. Tendré mucho cuidado.

Al ver que las bolsas llegan intactas a casa, su mamá se siente orgullosa:

—Creo que mi pequeño está creciendo rápidamente.

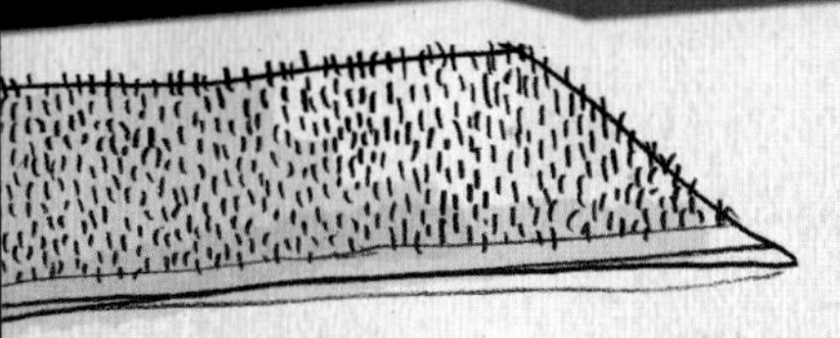

A
B
C

Al día siguiente en la escuela, la maestra le pregunta a todo el grupo:

—¿Cuál es su materia preferida?

Alex se queda reflexionando.

Después de pensar en varios temas que ha visto en clase, la única respuesta que le viene a la mente es que odia TODAS las materias. Pero, por supuesto, que esto no lo puede decir en voz alta.

La maestra también le pide a los niños que hablen sobre lo que más les gusta hacer.

Érik no duda, y les cuenta sobre la mejor comilona de su vida.

Inés no desaprovecha la ocasión para presumir todos los libros que leyó últimamente.

Tomás prefiere dormir. Habla de su cama, de su edredón y de sus almohadas, sobre todo de sus almohadas. Tiene muchas.

Antonio es feliz planchando y doblando pañuelos, aunque no lo crean.

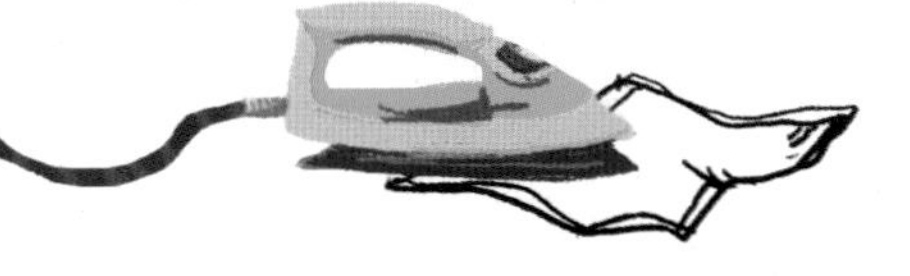

A Luisa le fascina reírse. Es comprensible.

Quintín es pambolero. A la mayoría de los niños del salón les gusta el futbol.

La maestra es muy joven y éste es su primer empleo. Se le ocurre una idea tras otra, y luego de escucharlos, decide dejarles una tarea: escribir un breve ensayo. El tema será "Si se te apareciera un hada y pudiera concederte un deseo, ¿qué le pedirías?".

Lo primero que se le ocurre pedir a Alex es ser el mejor. Le gustaría volar y aterrizar cerca de los mejores, justo al lado de Inés...

Aunque, pensándolo con más calma, también le gustaría tocar a Chopin, a Rachmaninov, a Brahms. Su mamá le regaló varios discos de esos reconocidos compositores, interpretados por famosos pianistas. Pero Alex sabe que todavía le falta ensayar mucho para alcanzarlos.

Al salir de clases, Alex se queda un rato a platicar con sus amigos.

—¿Qué poder te gustaría tener? —le pregunta a Tomás.

—El poder de la comprensión.

—Y eso, ¿qué es?

—Es la inteligencia de entender por qué la gente hace tantas tonterías.

—¿Qué gente?

—Mis hermanos y mis papás, por ejemplo.

A Alex también le gustaría comprender, sobre todo, los problemas de matemáticas.

La sensación de estar frente a fórmulas matemáticas lo hace sufrir.

Tal vez para comprender a la gente sea necesario vivir mucho tiempo. Alex comprende más cosas ahora que cuando estaba en el jardín de niños. Tiene toda la vida por delante para comprender mejor las cosas.

Su amigo Hakim no sabe bien qué pedir, así que elige lo que cree más astuto y productivo: la salud.

—Tiene algo de mágico —reflexiona Alex—, porque si te enfermas, hace falta un hada verdadera para que te alivies.

—Sí, pero yo creo que lo mejor es prevenir enfermedades. Para eso hay que comer bien y mantenernos en buena condición física.

—Eso no siempre sirve. A mi primo le dio leucemia a pesar de que comía sanamente.

—De todas maneras escogeré la salud. No sé qué más pedir. ¿Y tú?

—No tengo la menor idea.

Érik prefiere hacer una lista de todo lo que le pediría al hada: juguetes, un teléfono celular y muchos regalos.

—Creo que la maestra quiere que sólo elijamos una cosa —advierte Alex.

—¡Ah!, en ese caso, escojo el conjunto de todas las cosas.

Más tarde, de camino al Conservatorio, Alex le pregunta a Inés:

—Tú, ¿qué le pedirías al hada?

—Que la gente me quiera —responde ella algo acongojada.

—Eso ya lo tienes. Todos te quieren. Eres la mejor.

—Varios en el grupo me odian. Dicen que soy la consentida y les da coraje.

—Te tienen envidia. Sólo haz menos cosas y hazlas menos bien. Finge que no te salen bien las cosas.

—No tengo ganas de hacer trampa.

Alex no sabe cómo ayudar a Inés. Y entre más reflexiona, concluye que cuesta mucho trabajo ser querido: hay que hacer favores, sonreír, ser simpático. ¿Será posible que alguien te quiera sólo porque sí?

Durante la cena, Alex platica con su familia sobre lo que pasa en la escuela.

—La maestra nos dejó una tarea algo extraña. Quiere que escribamos qué le pediríamos a un hada si se nos apareciera. No sé qué pedir. ¿Ustedes qué pedirían?

—Yo pediría una larga noche de sueño —dice su papá, pues sufre insomnio.

—Y yo, la felicidad —dice su mamá.

—¿La felicidad? Pero si estás nadando en ella —dice Alex—. Te la pasas diciendo que tienes un gran marido, unos hijos hermosos, un buen trabajo y una casa muy bonita.

—Sí, pero me gustaría tener todo eso trabajando un poquito menos —responde su mamá.

"A mí también me gustaría ser mejor en la escuela sin trabajar tanto", piensa Alex.

Y se da cuenta de que esa palabra siempre regresa: el trabajo. Hay que trabajar para obtener TODO, incluso la felicidad.

Y empieza a vislumbrar lo que podría pedir al hada.

Escribe y mete la hoja en su mochila.

Llega el día de entregar el ensayo. Los niños están entusiasmados, como si le estuvieran mandando una carta a Santa Claus. Sienten que sus deseos pueden hacerse realidad.

La maestra les cuenta una anécdota:

—Winston Churchill dijo: "Para mejorar, hay que cambiar. Así que para ser perfecto es preciso cambiar lo suficiente". ¿En qué cambiarían ustedes?

Alex sospecha que, en el fondo, les está preguntando lo mismo que la vez anterior.

Al día siguiente, la maestra les regresa su ensayo y les pide que lo complementen con esta reflexión:

—¿Qué es lo que más anhelan en la vida? ¿Riqueza, saber, fama, admiración, amistad, amor, estar a la moda, ayudar al bienestar de la humanidad, encontrar una pasión, limpiar el planeta?

La mediana cabeza de Alex va a explotar por el montón de preguntas trascendentes. Antes —por ejemplo, el año pasado— no tenía gran cosa en la cabeza. Y ahora, una ola de dudas lo ahoga.

En casa, lo único que le dice su hermana para ayudarlo es:

—¡Tu maestra está loca!

Y su padre pregunta:

—¿Es psicóloga o maestra?

Abandonado a su propia inspiración, Alex no sabe qué elegir. ¿Riqueza? ¡Bah!... Tiene lo que quiere. ¿Saber? No realmente... ¿Fama? Seguro que no... ¿Admiración de los demás? De su familia o de la maestra o de Inés... Imposible... ¿Amistad? Ya tiene... ¿Amor? Algo fácil... ¿Estar a la moda? ¿Por qué no?... ¿Ayudar al bienestar de la humanidad y limpiar el planeta? ¡Dura tarea!... ¿Encontrar una pasión? Ya tiene el piano... En definitiva, no se le ocurre una mejor idea.

Alex escribe:

Quiero lo que la vida pueda ofrecerme.

Y llena la página con distintas frases sobre el mismo tema, hasta que termina de escribir su ensayo.

Tarea:
¿Qué le pedirías
a un hada?

Algunas semanas después de la epidemia de preguntas extravagantes, la maestra llega muy sonriente al salón, con los ensayos revisados.

—Todos pidieron cosas muy interesantes, pero quisiera que Alejandro pasara al frente para compartir su tarea.

Es la primera vez que Alex recibe este gran honor. Ahora le piden que lea en voz alta frente al grupo.

Se levanta, orgulloso y seguro, y empieza a leer:

"No sabía qué pedirle al hada. Por eso estuve a punto de creer que era imposible saberlo, pero como imaginé que la maestra no aceptaría esa respuesta, y con toda razón, empecé a quebrarme la cabeza.

Reflexionar cuesta trabajo. Uno tiene que pensar y pensar, en lugar de ver la televisión. Pasé un buen rato meditando sobre qué podía pedirle al hada, incluso lo pensaba antes de dormir.

Y luego recordé un regalo que me dieron. Hace poco, mi padrino me obsequió un piano. El piano, si no lo tocas, si no lo pruebas, si lo abandonas en un rincón, no es más que un mueble. En cambio, si lo tocas, creas música... Esto me llevó a pensar que la vida podría ser como un piano: hay que interesarse en ella, ser curiosos y sacarle provecho.

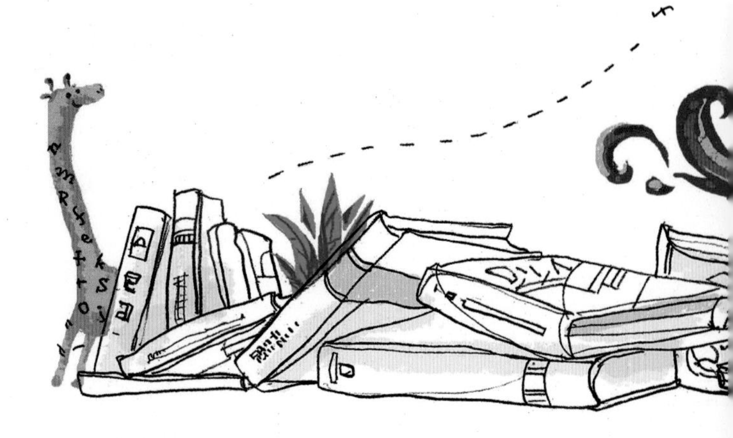

Yo no conocía la curiosidad antes de tener mi piano. Tal vez se pregunten a qué me refiero con curiosidad. Tomaré como ejemplo un libro. Un libro es un montón de hojas llenas de palabras y frases, pero que no tienen sentido si no las desciframos. El libro cobra vida hasta que es leído. Si no lo leemos es como negar su existencia. Lo mismo pasa con las personas. Están allí y no las conocemos. ¿Quiénes son? Si uno quiere comprenderlas, si se tiene la curiosidad por saber quiénes son, hay que acercarse y hablar con ellas.

Estoy seguro de que si cada uno contáramos algo sobre nosotros, terminaríamos asombrados.

Por eso, creo que no hay que tener miedo a lo nuevo; es bueno explorar y maravillarnos, pues así podemos descubrir cómo funciona el mundo que habitamos.

Luego de reflexionarlo mucho, me di cuenta de que lo mejor que podría pedirle al hada sería la capacidad de ver más allá de las apariencias, de imaginar y vencer mis inseguridades."

Cuando Alex termina de leer, todos le aplauden.

9

Ahora, la maestra, Inés y todo el grupo miran a Alex de un modo distinto, como si lo conocieran mejor.

A este paso, si se topara con un hada madrina, ya no tendría que desear ser como nadie, ni siquiera como Alejandro Magno...

EN ESTA MISMA SERIE:

Desde que inició la escuela, Vicky va de mal en peor en su clase de inglés. ¿La razón? Peter, un niño que siempre le pide cosas y nunca se las devuelve. Vicky no se atreve a contárselo a nadie, ni siquiera a Greg, el novio de su mamá, quien también parece tener su propio secreto. Por suerte, Vicky cuenta con Natacha, su mejor amiga, que siempre está dispuesta a ayudarle.

Un acercamiento positivo y realista a la extorsión y el abuso en la escuela.

EN ESTA MISMA SERIE:

Merry sueña con ser bailarina de ballet y lucir un bonito tutú sobre un escenario. Pero no hay escuelas de ballet donde ella vive. Además, todos piensan que es demasiado gorda para ponerse un tutú y bailar. Pero cuando una maestra de ballet llega a su ciudad, Merry no perderá la oportunidad de realizar su sueño.

Una protagonista tenaz y divertida descubre que la perseverancia es el único camino para convertir los sueños en realidad.

Impreso en los talleres de
Grupo Gráfico Editorial, S. A. de C. V.
Calle B, núm. 8, Parque Industrial Puebla 2000,
C. P. 72225, Puebla, Puebla, México.
Septiembre de 2022.